这是我的书
It's MY BOOK
6级：300字

破碎的瓦片

原作：叶圣陶（Ye Shengtao）
改编：秦志宁（Zhining Chin）
配图：秦志宁（Zhining Chin）

北京语言大学出版社
BEIJING LANGUAGE AND CULTURE UNIVERSITY PRESS
PHOENIX TREE
PHOENIX TREE PUBLISHING INC.

识读　鸟　虫　颜色　地方
看出　用

句型　不是……也不是……

字数　295字

bà ba zuò zài shā fā shang kàn
爸爸坐在沙发上看

huà piàn wǒ yě zǒu guo qu kàn
画片，我也走过去看。

huà piàn shang bú shì huā cǎo bú shì niǎo
画片上不是花草，不是鸟

chóng yě bú shì shén me dì fang de fēng jǐng zhǐ
虫，也不是什么地方的风景，只

shì yì xiē pò suì de wǎ piàn
是一些破碎的瓦片。

wǒ wèn zhè xiē pò suì de wǎ piàn yǒu
我问：“这些破碎的瓦片有

shén me hǎo kàn de bà ba shuō zhè xiē
什么好看的？”爸爸说：“这些

shì sān qiān duō nián qián shāng dài de táo zhì pǐn shì
是三千多年前商代的陶制品，是

zài zhōng guó huáng hé de běi bian zhǎo dào de
在中国黄河的北边找到的。”

à sān qiān duō nián qián de dōng xi tīng
啊，三千多年前的东西！听
bà ba zhè me yì shuō wǒ yě ná qǐ jǐ zhāng huà
爸爸这么一说，我也拿起几张画
piàn lai zǐ xì kàn
片来仔细看。

bà ba yòu shuō wǒ men kàn le zhè xiē dōng
爸爸又说："我们看了这些东

xi de shì yàng hé huā wén hái yǒu yán sè jiù kě
西的式样和花纹，还有颜色，就可

yǐ míng bai sān qiān nián qián gǔ dài rén de xiǎng fǎ
以明白三千年前古代人的想法，

yě néng kàn chu tā men de yì shù shuǐ píng
也能看出他们的艺术水平。"

zhè xiē táo zhì pǐn yǒu gāo de yǒu
这些陶制品有高的，有
ǎi de yǒu dà kǒu de yǒu xiǎo kǒu
矮的；有大口的，有小口
de yǒu píng dǐ de yě yǒu sān zhī
的；有平底的，也有三只
jiǎo de yǒu xié wén de yě yǒu huí wén
脚的；有斜纹的，也有回纹
de yào shuō yì shù shuǐ píng hé xiàn
的。要说艺术水平，和现
zài de táo qì yě chà bu duō ne
在的陶器也差不多呢！

shāng dài rén yòng zhè
商代人用这
xiē dōng xi lái zhuāng jiǔ
些东西来装酒，
yě yòng tā men lái zhuāng niú
也用它们来装牛
ròu hé yáng ròu dà jiā zuò
肉和羊肉。大家坐
zài yì qǐ chī fàn zhuō shang shì zhuāng le jiǔ zhuāng
在一起吃饭，桌上是装了酒、装
le niú yáng ròu de táo qì tā men yí dìng chī de hěn
了牛羊肉的陶器，他们一定吃得很
kāi xīn ba
开心吧！

zhè xiē pò suì de wǎ piàn bǎ wǒ dài dào
这些破碎的瓦片把我带到
le sān qiān nián qián duō yǒu qù a
了三千年前，多有趣啊！

1 爸爸坐在沙发上看画片，我也走过去看。画片上不是花草，不是鸟虫，也不是什么地方的风景，只是一些破碎的瓦片。

2 我问：“这些破碎的瓦片有什么好看的？”爸爸说：“这些是三千多年前商代的陶制品，是在中国黄河的北边找到的。”

3 啊，三千多年前的东西！听爸爸这么一说，我也拿起几张画片来仔细看。

4 爸爸又说：“我们看了这些东西的式样和花纹，还有颜色，就可以明白三千年前古代人的想法，也能看出他们的艺术水平。”

5 这些陶制品有高的，有矮的；有大口的，有小口的；有平底的，也有三只脚的；有斜纹的，也有回纹的。要说艺术水平，和现在的陶器也差不多呢！

6 商代人用这些东西来装酒，也用它们来装牛肉和羊肉。大家坐在一起吃饭，桌上是装了酒、装了牛羊肉的陶器，他们一定吃得很开心吧！

7 这些破碎的瓦片把我带到了三千年前，多有趣啊！

1

2

3

4

5

6

看图讲故事

7